SIXTO SEIS
CENAS

Primera edición, 2003
Primera reimpresión, 2004

Depósito Legal: B. 45.750-2004
ISBN: 84-316-6822-9
Núm. de Orden V.V.: T-141

Título original: *Sid Dinner Six*

IMPRESO EN ESPAÑA
PRINTED IN SPAIN

Editorial VICENS VIVES. Avda. de Sarriá, 130. E-08017 Barcelona.
Impreso por Gráficas INSTAR, S.A.

Inga Moore

SIXTO SEIS CENAS

Ilustraciones

Inga Moore

Versión y actividades

Miguel Tristán

Vicens Vives

El gato Sixto vivía en
el número uno de la
calle Mambrú.

Pero vivía también en los números
dos, tres, cuatro, cinco y seis de la misma calle.

Sixto, que era más listo que el hambre, vivía en seis
casas distintas porque así podía cenar seis veces.
Cada noche se escapaba del número uno, donde
cenaba pollo, y pasaba por el número
dos, donde le daban
sardinas,

por el número tres, donde
cenaba cordero,

por el número cuatro, donde
comía carne picada,

y por el número cinco, donde
cenaba bacalao.

Para terminar, se hartaba de
ternera en el número seis.

Como los vecinos de la calle Mambrú
apenas se hablaban, nadie sabía lo que
el listo de Sixto se traía entre manos.
Todos creían que el gato al que
alimentaban era suyo
y de nadie más.

Eso sí: a Sixto le costaba lo suyo cenar seis veces.
¿O pensáis que es fácil ser el gato de seis personas diferentes al mismo tiempo? Sixto tenía que acordarse del nombre que le habían puesto en cada casa, y debía comportarse de seis maneras distintas.

Así, donde lo llamaban Benito, se las daba de señorito.

Donde lo llamaban Botones, cazaba ratones.

Donde lo llamaban Marcelo, de tonto no tenía un pelo.

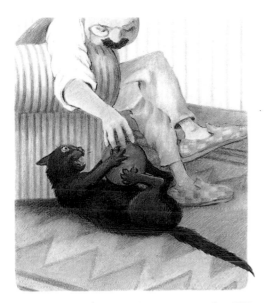

Donde lo llamaban Membrillo,
era juguetón y pillo.

Donde lo llamaban Mimoso,
era la mar de cariñoso.

Pero donde lo llamaban Jabato, era el terror de todos los
perros y gatos.

13

Claro que, de tanto ir y venir, Sixto acababa agotado. Pero no le importaba nada cansarse con tal de cenar seis veces. Y, además, a Sixto le encantaba...

que le rascasen de la cola a la cabeza en seis casas distintas...

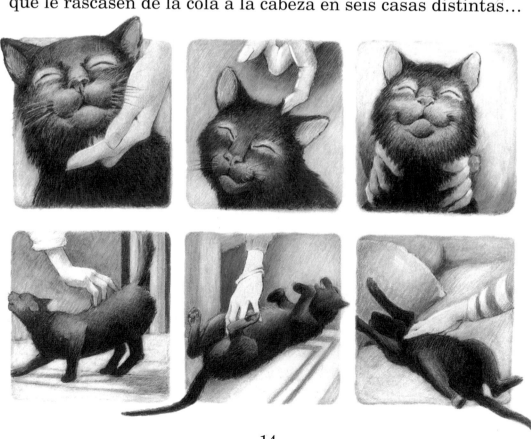

14

… y que le dejaran dormir a pata suelta y a cualquier hora en seis camas diferentes.

De manera
que a Sixto
todo le iba
a pedir
de boca
hasta
que…

… un día húmedo y frío, se resfrió. El pobre cogió una tos que tenía muy mala pinta.

En menos que canta un gallo, Sixto ya
estaba en la consulta del veterinario. Y,
como ya os podéis imaginar, no tuvo que
visitarse una sola vez…

... ni dos, ni tres,
sino ¡seis veces! Sixto
fue al veterinario con
seis personas distintas
y de seis maneras
diferentes:

en un transportín,   en taxi,

de paquete en una moto,   en un descapotable,

abrigado con una mantita   y en la canasta de una bicicleta.

El veterinario dijo que la tos de Sixto no era tan gra-
ve como parecía.

—Pero nos quedaremos más tranquilos —añadió—
si le damos una cucharadita de jarabe.

Por supuesto,
Sixto no tomó
una sola
cucharada de
jarabe para
la tos.
Tomó…

una,

dos,

tres,

cuatro…

¡cinco!

¡¡y SEIS!!

23

Pero lo peor vino después. Y es que, aunque todos los gatos negros parezcan iguales, no hay veterinario que visite seis veces al mismo gato y no empiece a sospechar. «Aquí hay gato encerrado», se dijo el veterinario. Así que hojeó su agenda, y entonces descubrió que los seis gatos negros vivían en la misma calle. De manera que llamó a los seis dueños de Sixto, y todos se enfadaron mucho al saber lo pillo que era su gato. ¡Tendríais que haber visto las caras que pusieron!

24

—¡Este bicho es un descarado!
—dijeron—. ¡Nos ha engañado a
todos para cenar seis veces cada día!

—Pero a partir de hoy se acabó lo que se daba
—añadieron—: nos pondremos de acuerdo para que
cene solo una vez.

¡Qué pena! ¡A Sixto se le había acabado la buena vida!

Sin embargo, Sixto era un gato de seis cenas diarias, así que, tras pensarlo mucho, decidió marcharse de la calle Mambrú y

28

se fue a vivir al número uno de la plaza Gulliver.
Y empezó a vivir también en los números dos,
tres, cuatro, cinco y seis de la misma plaza.

Al contrario de lo que pasaba en la calle
Mambrú, en la plaza Gulliver los vecinos
se llevaban muy bien entre sí, de modo
que todos supieron desde el primer
día que Sixto cenaba
seis veces.

Pero aquello no les molestó, sino que les hizo
gracia. Así que, como todos los vecinos compartían
el mismo gato, decidieron que de vez en cuando
cenarían juntos… y le pondrían
seis platos a Sixto, claro está.

actividades

Sixto Seis Cenas

Comprensión

1 Veamos si recuerdas bien lo que ocurre en el cuento. Señala con una cruz la respuesta correcta para cada pregunta.

a) Al gato Sixto le gusta cenar seis veces. ¿Cómo se las arregla para conseguirlo?

☐ Entra en las tiendas a robar comida.

☐ Vive a la vez en seis casas distintas.

☐ Caza muchos ratones.

b) Los vecinos de la calle Mambrú no saben que Sixto cena seis veces. ¿Por qué?

☐ Porque casi no se hablan.

☐ Porque casi nunca están en casa.

☐ Porque no le hacen caso al gato.

c) Para cenar seis veces, Sixto tiene que esforzarse mucho. ¿Por qué?

☐ Porque Sixto debe acordarse de seis nombres distintos y comportarse de seis maneras diferentes.

☐ Porque no tiene mucha hambre.

☐ Porque tiene que dejar que lo acaricien seis veces.

d) A Sixto lo descubren por culpa de un resfriado. ¿Por qué el veterinario sospecha de él?

☐ Porque ve que Sixto lleva encima seis bufandas.

☐ Porque todos los gatos negros son unos tramposos.

☐ Porque se da cuenta de que ha atendido seis veces al mismo gato.

e) Cuando lo descubren, Sixto se muda a la plaza Gulliver. ¿Le dejan sus nuevos amos cenar seis veces?

☐ Sí, pero solo si caza un ratón cada día.

☐ Sí, porque comprenden que Sixto es un gato de seis cenas diarias.

☐ No, porque creen que Sixto reventará de tanto comer.

2 ¿Qué estará pensando Sixto en cada uno de los dibujos reproducidos abajo? Escribe en los cuadros de la página siguiente la letra del dibujo correspondiente a cada frase.

a

b

c

d

e

f

1. ¡Qué olorcillo más bueno echa el puchero! ☐
2. ¡Uf, vaya atracón que me he dado! ☐
3. ¿Dónde se habrá metido ese bichejo? ☐
4. Soy el gato más fino y educado del mundo. ☐
5. ¡Acércalo más y verás como le hinco el diente! ☐
6. ¡Esto sí que es pasárselo bien! ☐

3 El siguiente cuadro es una **sopa de letras**. Tienes que encontrar los nombres de las seis comidas que cena Sixto en casa de sus dueños y rodearlos con un círculo.

```
E S O U C B Y R J U M C
I U A S M U F B K L I A
H T E R N E R A D E R R
E R U G D U J C K C O N
L O M O V I K A L H M E
J L O L S C N L X U A P
Z K P J I W X A I G O I
I C O R D E R O S A D C
N M L Z Q H O L A L I A
P I L L O U Y O Ñ B X D
Ñ G O D R F S V D Y W A
```

Comentario y creación

1 Para cenar seis veces, Sixto engaña a sus amos. ¿Te parece que hace bien, o crees que es un aprovechado? ¿Qué harías tú si tuvieras un gato como Sixto? ¿Le reñirías? ¿Le darías más de comer? ¿Te desharías de él?

2 Si tú quisieras cenar seis veces, ¿cuál de las siguientes cosas harías? No te olvides de decir por qué:

☐ Me aguantaría las ganas.

☐ Cogería la comida a escondidas de la nevera.

☐ Se lo diría a mis padres.

☐ Me colaría a cenar en casa de los vecinos.

3 En la calle Mambrú, Sixto tiene seis dueños distintos: tres mujeres y tres hombres. Si te fijas bien en las ilustraciones, seguro que no te cuesta mucho describirlos. Di cómo se llaman, en qué trabajan, qué les gusta hacer, qué manías tienen...

a   b   c

d   e   f

4 Ya hemos visto que, en la calle Mambrú, Sixto se comporta de una manera distinta dependiendo de su amo o su ama: a veces es un gato tranquilo y mimoso, a veces se convierte en un astuto cazador y en ocasiones corre a la desesperada tras perros y gatos. Si Sixto viviera en tu casa, ¿cómo te gustaría que se comportase?

Expresión

1 Como el gato es un animal tan conocido, muchas veces lo mencionamos al hablar. Así, cuando pasa algo raro que no entendemos, decimos: "Aquí hay gato encerrado". ¿Sabes lo que significan estas otras frases hechas en que se menciona al gato?

1) Le dio gato por liebre

2) Se lava a lo gato

3) Eran cuatro gatos

4) Llevarse como el perro y el gato

5) Ser gato viejo

6) Estar como gato panza arriba

a) Había pocas personas

b) Defenderse

c) Le dio una cosa mala y le hizo creer que era buena

d) Se lava muy poco y sin mojarse

e) Discutir mucho

f) Saber mucho de la vida

2 En uno de sus poemas más divertidos, el poeta británico Thomas S. Eliot escribió:

Si quieres pasar un buen rato,
búscale nombre a tu gato.
Bautizarlo es muy buena distracción,
aunque te exigirá mucha atención.

Imagínate que a Sixto le gustara cenar doce veces en vez de seis. ¿Qué otros seis nombres podríamos ponerle? Esfuerza tu imaginación en bautizarlo de nuevo.

3 Ya te habrás dado cuenta de que lo que Sixto hace en cada casa rima con el nombre que le da cada uno de sus amos. Así, Benito rima con "dárselas de señorito". Utiliza una rima para decir qué haría Sixto si se llamara con los nombres que le has puesto en el ejercicio anterior.

39